CHARLOTTE
ET LE CHARLATAN

Sur notre site, tout est vrai !
Visitez-le : soulierediteur.com

CHARLOTTE
ET LE CHARLATAN

Un roman de
Dominique Giroux

Illustré par
Bruno St-Aubin

**SOULIÈRES
ÉDITEUR**

www.soulieresediteur.com

case postale 36563 — 598, rue Victoria
Saint-Lambert (Québec) J4P 3S8

Soulières éditeur remercie le Conseil des Arts du Canada et la SODEC de l'aide accordée à son programme de publication et reconnaît l'aide financière du gouvernement du Canada par l'entremise du Fonds du livre du Canada (FLC) pour ses activités d'édition. Soulières éditeur bénéficie également du Programme de crédit d'impôt pour l'édition de livres – Gestion Sodec – du gouvernement du Québec.

Dépôt légal   : 2016

Catalogage avant publication de Bibliothèque et Archives nationales du Québec et Bibliothèque et Archives Canada

Giroux, Dominique

Charlotte et le charlatan

(Collection Ma petite vache a mal aux pattes ; 142
Pour enfants de 6 ans et plus.

ISBN 978-2-89607-369-6

I. St-Aubin, Bruno. II. Titre. III. Collection : Collection Ma petite vache a mal aux pattes ; 142.

PS8563.I762C42 2016   jC843'.54   C2016-940481-1
PS9563.I762C42 2016

Conception graphique de la couverture :
Annie Pencrec'h,

À la résurrection de Clara…
Vive la VIE!
Merci Chloé et Anaïs

À mes petits moineaux, Clovis,
Victor, Florianne et Margot,
avec vous, j'irais au bout
du monde!

Et finalement à la vraie de vraie
Jeannine Aubry que j'aime tant!

1

Une publicité emballante

Youhou ! Charlotte, réveille-toi !

Ça bourdonne dans mes oreilles. J'entends plein de voix, dont celle tonitruante de mon ami Jo. Mais mon cerveau encore endormi est incapable de les comprendre.

— Tu ne devineras jamais ce qu'on a trouvé hier soir sur Internet ? dit Delphine.

— C'est formidable, Charlotte... Tout simplement FORMIDABLE ! Ta vie va changer. Écoute ça, ajoute Karim :

— « *Offre exceptionnelle ! Après des années de recherche, le docteur Shi Pi Yamamoto est heureux de mettre sur le marché son incroyable médicament miracle* révolutionnaire. *Pour aussi peu que 5 000 $, vos jambes, vos bras ou toute autre partie de votre corps paralysés pourront fonctionner comme avant. Faites vite !* »

On me secoue. On me passe une débarbouillette d'eau glacée sur les yeux. On ébouriffe mes cheveux. On frotte mes oreilles. Lentement, j'émerge du sommeil. J'aperçois Delphine assise sur mon lit, tandis que Jo et Karim sautent comme des sauterelles devant moi.

Je jette un coup d'oeil à ma montre... À peine 7 heures 15 ! Wow ! Le moment doit être drôlement important pour venir me réveiller si tôt un dimanche matin. Surtout pour Jo le pantouflard, qui adore faire la grasse matinée !

— Gé-nial ! Tu ne trouves pas ? Tu vas pouvoir marcher à nouveau, déclare Delphine, ma meilleure copine.

Une secousse sismique m'éveille complètement. Marcher à nouveau ? De quoi parle-t-elle ?

Je saisis la feuille qu'elle me tend. Je lis, relis et re-relis l'annonce imprimée. Jamais entendu parler du docteur Shi Pi Yamamoto. Et pourtant, j'en ai rencontré des spécialistes au fil des ans !

Je regarde mes trois camarades. Leur emballement est

beau à voir. J'aimerais tellement croire en leur trouvaille. Je n'ai pas envie de les décevoir. Je dois cependant les ramener à la réalité. C'est donc avec un interminable soupir que j'ajoute :

— Merci ! Votre grande amitié allume un feu de joie dans mon coeur, mais les médecins sont unanimes. Mon accident de planche à neige a rendu mes jambes inutilisables. Elles sont mortes… Mortes, pour toujours !

2

L'Espoir

Un terrible silence s'abat sur ma chambre. Mes amis se regardent, interloqués. Visiblement, ils sont déçus par mon manque d'enthousiasme. Au bout d'un moment, Delphine met fin au malaise. Elle prend la parole :

— Pff! C'est toujours toi la première à dire qu'il ne faut jamais abandonner.

— Tu as SÛREMENT mal compris, poursuit Jo. Oublie ce que les médecins t'ont raconté jusqu'ici. Il existe maintenant, à partir d'aujourd'hui, un médicament miracle. Regarde... C'est écrit, ici. Noir sur blanc !

Il pointe chaque mot de l'annonce en les prononçant haut et fort.

Delphine et Karim ajoutent à tour de rôle leurs commentaires. Chacun donne une raison pour que j'aie le coeur à la fête. Il y a de l'excitation dans l'air.

— N'oublie pas Charlotte que la science évolue sans arrêt.

— Tu sais... Si des hommes sont capables de marcher sur la Lune, il existe sûrement un moyen pour que tu puisses marcher sur Terre ! Bientôt, on va même peut-être pouvoir explorer des planètes.

— Ouais! Pis mon père m'a dit qu'avec les années les génies sont de plus en plus géniaux! Pis mon père là, il est ingénieur! Ça fait que…

— La preuve… Prends un téléphone d'il y a vingt ans et un téléphone d'aujourd'hui… Ou un ordinateur. Ça ne se compare même pas.

— Ben, c'est pareil en médecine. Il y a toujours des progrès.

J'avoue qu'ils ont de bons arguments. Des découvertes, il y en a tous les jours. Pourquoi le docteur Yamonauto ne pourrait-il pas avoir trouvé un nouveau médicament pour donner vie aux jambes paralysées?

Je me remets à rêver. J'ai appris à fonctionner avec mon handicap. J'ai appris à me déplacer en fauteuil roulant. J'ai même appris à être heureuse ainsi.

Mais s'il existe un moyen pour me remettre debout, bien droite sur mes deux pattes, je ne cracherai pas dessus. Oh, que non !

— Viens, Charlotte, me supplie Delphine. Il faut absolument aller voir tes parents. Le plus, plus vite possible…

Mes amis guettent ma réaction avec fébrilité. J'esquisse mon plus beau sourire. Celui digne d'une publicité pour dentifrice ultra-blanchissant. Soulagés, ils poussent un « OUF » sonore de plusieurs décibels. Ils sont fiers de m'avoir redonné espoir.

Avec moi en tête, c'est un quatuor électrisé qui se dépêche de rejoindre ma mère et mon père.

Yabadou ! J'ai maintenant hâte de partager avec eux la câline de bine d'excitante bonne nouvelle.

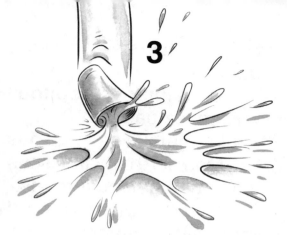

Les rabat-joie

— **M**a-maaaaaaaaaaannnnn!
Pa-paaaaaaaaaaaaaaaaaaaa!

J'entre en trombe dans la chambre de mes parents. Avec mon fauteuil roulant, j'accroche au passage les boiseries. J'égratigne la commode. Je fonce sur la table de nuit. Un verre d'eau tombe sur le plancher. Je suis une pilote qui a perdu la maîtrise de son véhicule. Je m'en fous… L'instant est trop important.

— Hé, maminou, papitou ! Vous ne savez pas quoi ?

Ma mère enfouit sa tête sous l'oreiller. Mon père disparaît sous une montagne de couvertures.

— Grrrrrrrrrrrrrrrrrrrrrrrrr ! Hummmmmmmmmmmm !

— Chuttttttttttttttttttttttttt ! Ahhhhhhhhhhhhhhhhhhh !

Leurs grognements d'ours me disent que le moment est mal choisi. Qu'il serait préférable de revenir plus tard. Mais je suis trop impatiente. Je poursuis d'un seul souffle :

— Tadam ! Croyez-le ou non, votre fille adorée, votre cocotte d'amour, votre ti'nounou tout doux, votre poulette chérie va bientôt marcher à nouveau. Formidable, n'est-ce pas ?

Et là, pour m'assurer qu'ils

comprennent vraiment la câline de bine d'excitante bonne nouvelle, je scande joyeusement :

— La, la, la, la, la… Je vais marcher… Marcher, marcher, marcher !

Mes amis m'ont suivie jusque dans la chambre de mes parents. Eux aussi veulent participer à l'événement. Ils répètent avec moi :

— La, la, la, la, la… Charlotte va marcher… Marcher, marcher, marcher !

C'est comme si un essaim de guêpes avaient piqué simultanément mes parents. En moins d'un millième de seconde, ils sont assis, les yeux aussi ronds que des frisbees ! Estomaqué, papa rabâche le même mot :

— Mais, mais, mais…

Plus allumée, maman formule une phrase complète :

— Charlotte ! Peux-tu m'expliquer ce que fait tout ce monde
dans notre chambre ?

J'avoue qu'il y a de quoi sur-
prendre. Quatre spectateurs
pour assister à leur réveil pré-
cipité ! Je ne suis pas certaine
qu'ils apprécient.

Avec sa voix criarde qui nous
fait croire qu'il a avalé un micro,
Jo prend la parole :

— On ne pouvait pas attendre, madame Beaubec. C'était trop urgent. On est entrés avec la clé cachée sous le paillasson. C'est Charlotte qui nous en avait déjà révélé le secret. On vient vous annoncer la plus géniale de toutes les nouvelles. Vous allez être ravis. On a trouvé les coordonnées d'un médecin capable de guérir les jambes, les bras, les doigts, les orteils, les oreilles… paralysés. Charlotte, votre fille Charlotte, va marcher à nouveau. Ça valait la peine qu'on vous réveille, hein ?

À voir leur regard de zombie, une chose est certaine, mes parents ne semblent pas enchantés du tout. Oh, là, là ! Pas plus enchantés qu'il le faut en tout cas ! Ils ont plutôt une face d'enterrement. Ils pointent chacun un doigt, en nous montrant la porte. Je n'y comprends rien…

Zut de zut ! Pourquoi réagissent-ils de la sorte ? Je dois te confier que je vis ma plus terrible câline de bine de grosse débine depuis mon accident ! Oh, oui… Une câline de bine d'immense débine !

4

La confrontation

Découragés, nous quittons la chambre. Mes amis se traînent les pieds. Moi, je roule au ralenti. Nous nous retrouvons dans la cour. Delphine déclare :

— Sont plates aujourd'hui tes parents. Ils n'ont même pas voulu qu'on leur explique.

— Ouais ! On découvre une solution extraordinaire pour régler le problème de tes jambes, et on se fait virer comme de vulgaires moustiques, renchérit Jo. Pas terrible !

Malgré ma déception, je sens le besoin de défendre ma famille :

— Je pense que papa et maman n'ont tout simplement pas aimé se faire réveiller. Ils sont intelligents et ils m'aiment, ils vont finir par comprendre...

Sur les entrefaites, mes parents arrivent. Je fais signe à mes camarades de ne rien ajouter. Je suis confiante. Tout devrait s'arranger rapidement.

Maman nous regarde à tour de rôle, puis s'exprime :

— Je serais la première à applaudir, à danser, à fêter... si Charlotte marchait à nouveau. Mais c'est impossible. La moelle de sa colonne vertébrale a été sectionnée lors de son accident. Maintenant, les messages qui partent de son cerveau pour donner l'ordre à ses jambes de bouger ne parviennent pas jusqu'à elles. Il y a un court-circuit. Et ça, ça ne se répare pas. Il…

Incapable de se retenir davantage, Jo lui coupe la parole :

— Ouais ! Ça, c'était avant. Avant que le docteur Yamamoto fasse ses recherches et découvre un médicament. Regardez… C'est écrit, ici.

Et il tambourine sur la petite annonce avec son index, comme le ferait un pic-bois sur un tronc d'arbre.

Maman prend le papier. Papa se penche par-dessus son épaule. Ensemble, ils lisent. On les dévisage. C'est évident… ils vont finir par se rendre à l'évidence.

Bien crois-le ou non, ils s'unissent plutôt pour dire :

— Pauvres enfants ! S'il fallait croire tout ce qu'on trouve sur Internet.

Bang ! Leur opinion tombe comme un avion qui s'écrase. Non seulement ils ne sont pas convaincus mais, en plus, ils nous prennent pour des patates.

Delphine tente une autre stratégie :

— Pourquoi ça ne pourrait pas être vrai ? On ne peut pas le savoir avant d'essayer.

Jo enchaîne de façon catégorique :

— Moi, je pense qu'il faut absolument essayer. C'est pour ça qu'on s'est déplacés ce matin. Hein, les amis ?

Mes camarades font bloc commun :

— Oui ! C'est vrai… Il faut essayer…

Je suis émue par leur solidarité. Ils me prouvent une nouvelle fois leur amitié. Avec eux, je me sens toujours super-extraordinairement importante !

L'agitation a réveillé mes frères. Ils discutent avec papa et maman. L'article circule de main en main. Mes frérots vont se rallier à nous, ça c'est certain.

Au lieu de quoi, l'aîné déclare sur un ton paternaliste :

— Franchement, les jeunes... Ne vous embarquez pas là-dedans. Ça sent l'arnaque à plein nez. Tout ce que ce docteur de pacotille veut, c'est votre argent !

5

La guerre

Une confrontation houleuse s'ensuit. D'un côté, maman, papa et mes frères. De l'autre, mes amis. Au centre, il y a moi, déçue de voir tout le monde s'obstiner.

— Faut d'abord se procurer le médicament…

— NON ! Il s'agit d'une attrape pour gens naïfs… C'est visible comme un clignotant dans la nuit.

— Ah, OUI! Comment le savez-vous?

Et, ainsi de suite… Une vraie guerre. Chacun a ses munitions et riposte du tac au tac. Le ton monte de part et d'autre. Personne ne lâche sa position. Je prédis un match nul. Et plein de personnes frustrées.

Pour ma part, je suis divisée. J'aimerais bien tester le médicament du docteur Yamonvélo. Juste au cas où…

En même temps, je me demande pourquoi une aussi grande découverte figure seulement sur Internet. Il aurait été plus normal que toutes les télés, toutes les radios, tous les journaux du monde entier en parlent. La photo du docteur Yamoncanot devrait se trouver partout, partout, comme celle d'une vedette.

— Ce n'est pas juste. Je ne peux pas croire qu'à vos yeux Charlotte ne vaut pas au moins un essai de 5 000 $?, lance Jo sur un ton ironique.

Vexée, maman l'interrompt :

— Justement! Parce qu'elle est plus précieuse que tout, il n'est pas question de confier sa santé à un charlatan.

Et papa de compléter :

— Assez discuté! Si les résultats des recherches du docteur Yamamoto étaient si fabuleux, les médecins qui traitent Charlotte nous auraient rapidement contactés. Et là, j'aurais été prêt à donner jusqu'à mon dernier sou pour que Charlotte puisse marcher!

Sur ce, ma mère, mon père et mes frères rentrent dans la maison, nous laissant seuls, mes amis et moi, à ruminer dehors, sous le soleil de juin.

Tôt ce matin, la journée était prometteuse. Mais là, je dirais plutôt qu'elle est devenue une câline de bine de mosusse de journée.

Une mosusse de journée, triste comme un chant funèbre. Grr!!!!

6

Mobilisation et déception

— Pffffffff ! Si c'est comme ça, on va s'organiser entre nous, tonne Jo. J'avais donné rendez-vous aux autres amis de la classe ici-même, à 9 heures. Ensemble, on va élaborer notre stratégie.

Mes camarades commencent d'ailleurs à arriver. En peu de temps, ils sont tous là. Jo leur résume la situation. Il conclut en répétant :

— On n'a pas le choix… Faut prendre les choses en mains, tout seuls.

— Bien d'accord avec toi, enchaîne Delphine. Mais où trouver 5 000 $? C'est beaucoup d'argent pour des enfants, non ?

Les esprits s'échauffent. Chacun y va de sa suggestion. Il est question d'échanger des canettes vides à l'épicerie. D'organiser un lave-auto. De fabriquer des cartes de souhaits. De promener les chiens des voisins. D'amuser les tout-petits au parc. De chanter dans une résidence pour personnes âgées. De faire du ménage. De vendre de la limonade… Alouette !

Sans exception, mes copains veulent tous contribuer. Avec leurs bonnes idées, la somme demandée pour se procurer le médicament semble vraiment, vraiment facile à amasser.

Je suis fière de mes amis. Ils sont volontaires, débrouillards, imaginatifs. Et, surtout... prêts à tout pour moi!

En même temps, je repense à ma famille. Je ne sais plus qui croire. Mon coeur balance. D'une toute petite voix, j'émets une réserve:

— Et si... si on se faisait avoir? Et si c'était juste un attrape-nigaud?

Jo tranche sans hésitation:

— Ben, voyons Charlotte! Penses-tu vraiment qu'un docteur oserait mentir publiquement?

— Et être assez fou pour risquer de perdre sa crédibilité? Son travail? Sa clientèle? ajoute Delphine. Non, non... Pas de danger. S'il en fait la publicité, c'est que son médicament est efficace.

De tout coeur, je veux leur donner raison. Ce serait si *cool* si ça marchait! Ou plutôt… si je marchais! J'en tremble déjà de bonheur.

Rapidement, les équipes se forment et les tâches sont distribuées. Personne ne doute du succès de notre opération intitulée : « EN AVANT MARCHE, CHARLOTTE ! ».

Au moment de se séparer, Jo précise :

— Rendez-vous ici, dimanche prochain, à 19 heures. On fera le bilan. Bonne chance les amis ! On a une semaine pour revenir les poches pleines. Pleines à craquer !

— Soixante-huit. Soixante-neuf. Soixante-dix. Soixante et…

Je calcule une nouvelle fois l'argent amassé. Au total, 70,55 $. Pas un sou de plus… Sept jours d'efforts à vendre, garder, frotter, dessiner, chanter… pour si peu !

La déception se lit sur nos visages.

— À ce rythme-là, ça va prendre une éternité avant d'obtenir 5 000 $. Tu es mieux d'installer des pneus d'hiver sur ta chaise, Charlotte !

La blague de Jo tombe à plat. Personne n'a envie de rire.

— C'est bizarre d'avoir récolté si peu. Dans le quartier, tout le monde aime Charlotte. Je m'attendais à une plus grande générosité, confie tristement Delphine.

— Le problème, souligne Jo, c'est que les adultes sont tous pareils. Ils ne croient pas à la découverte du docteur Yamamoto. Ils disent que son médicament miracle est un leurre. Ils nous prennent pour des poissons excités par n'importe quel hameçon brillant.

Plusieurs opinent de la tête. Certains vont jusqu'à dire avoir été découragés de miser sur de telles sornettes.

— Moi, mon père m'a interdit de participer au projet, précise Karim. Il donne raison aux parents de Charlotte, certain qu'on va se faire s... s... s...

— Escroquer ! complètent mes amis.

— Même Rosie, notre professeur, pense comme ça ! Elle qui d'habitude, nous encourage dans nos projets.

Le moral des troupes est au plus bas. Nos espoirs de voir l'opération « EN AVANT MARCHE, CHARLOTTE ! » réussir, fondent comme neige au soleil.

Et, pour nous achever complètement, Jo proclame sur un ton solennel :

— 20 heures... C'est le moment de retourner chacun chez nous. Y'a de l'école demain.

Décidemment, la Vie est parfois cruelle. Vraiment trop cruelle !

7

Surprise !

— C'est quoi, ça ?

Il y a du brouhaha dans l'air.
Les élèves de ma classe trouvent,
les uns après les autres, une in-
vitation dans leur casier. On s'in-
terroge. Qui est l'auteur de cette
missive ?

Pour s'assurer que tous ont
reçu la même communication,
Jo lit la sienne à voix haute :

« *Message important...*
Rencontre spéciale. Tous les
amis du groupe de madame
Rosie sont invités ce soir, à 18
heures, à la salle communau-
taire. Vos parents sont déjà d'ac-
cord! »

— Ça m'étonnerait, enchaîne
Karim. Ces temps-ci, les miens
ne veulent jamais rien.

Mystère! Personne ne com-
prend. Delphine s'informe au-
près de notre professeur :

— Qu'est-ce que ça signifie,
madame Rosie ?

— Venez, et vous verrez, dé-
clare-t-elle, avant de nous de-
mander de sortir nos cahiers de
mathématiques.

Sa réponse est à la fois intri-
gante et insatisfaisante. Mais,
pas moyen d'en apprendre davantage. À chacune de nos

questions, elle nous bombarde de multiplications et de divisions. Si on ne veut pas crouler sous une montagne de chiffres, on a avantage à se taire.

La journée se déroule à la vitesse tortue. Vivement que la soirée arrive. Il nous tarde d'en savoir un peu plus…

Coup de théâtre ! La salle est bondée. Tous les élèves sont présents. Mais également nos familles. Nos papis. Nos mamies. Notre enseignante. Le propriétaire du dépanneur. Le chef pompier. La mairesse. Le curé. La pompiste du coin. L'épicier. Pas compliqué… Tout le quartier est venu !

À 18 heures précises, maman se lève et salue l'assistance.

— Bonsoir et merci d'être venus en si grand nombre. Sans plus tarder, nous allons accueillir le docteur Frédéric Battist.

Je reconnais mon spécialiste attitré. Il se lance dans des explications médicales sur la paralysie. À la fin de son exposé, il s'adresse directement à moi :

— Charlotte… si, un jour, une découverte scientifique pouvait redonner vie à tes jambes paralysées, je promets de te téléphoner pour t'annoncer la bonne nouvelle.

Je suis émue. Parmi les médecins que je rencontre régulièrement, le docteur Battist est mon préféré. Mais là, j'en déduis que lui non plus ne croit pas au médicament miracle du docteur Yamatoto.

Je jette un coup d'oeil à mes amis. Tous affichent une mine

désappointée. Jo se lève pour répliquer. Il n'a pas le temps de dire un mot. Maman présente déjà une autre invitée.

— Voici maintenant Jeannine Aubry, du journal *La Priorité.* Elle a fait une petite enquête pour nous.

La journaliste s'avance vers le micro. Selon ses recherches, le docteur Yamamoto n'est pas plus médecin que son chien. C'est un fraudeur qui change de nom aussi souvent qu'il change de bobettes. Il a été arrêté à plusieurs reprises. Il y a une dizaine de jours, il a été intercepté à l'aéroport de Hong-Kong alors qu'il s'enfuyait avec deux valises. Une remplie de bouteilles du médicament miracle, l'autre bourrée d'argent!

— Et, comble de tout, après analyse, le fameux médicament

s'est avéré être un mélange de cristaux de sucre, de poudre à pâte, de cacao et de farine ! Excellent pour faire un gâteau. Mais vous conviendrez avec moi, rien de miraculeux pour guérir une paralysie.

Mes camarades et moi sommes estomaqués. Gênés, surtout ! Contre l'avis de tous, on était prêts à envoyer 5 000 $ à un faux docteur, pour un faux médicament !

Madame Aubry enchaîne en racontant d'autres arnaques. Comme celle où des personnes reçoivent un courriel supposément de leur caisse populaire, les invitant à changer leur mot de passe pour accéder à leur compte. On leur dit que quelqu'un cherche à s'introduire dans leurs données. Les victimes four-

nissent alors des informations personnelles pour remédier au problème. Le lendemain, leur compte bancaire est vide !

Ou encore celle où vous avez un courriel vous déclarant l'heureux gagnant d'une magnifique oeuvre d'art africaine d'une valeur de 50 000 $. Vous n'avez qu'à payer 500 $ pour les frais de douane et le cadeau sera alors expédié à votre domicile sans aucun autre déboursé. Tentant, n'est-ce pas ? Des centaines d'individus tombent chaque jour dans le panneau sans jamais rien recevoir.

Elle poursuit avec d'autres exemples. Comme celui où un de vos bons amis vous annonce, dans un message électronique, être mal pris en Australie. Il ne peut vous expliquer pour l'instant pourquoi, mais ajoute avoir un urgent besoin de 1 000 $. Une question de vie ou de mort. Comme vous voulez sauver votre ami, vous transférez l'argent à l'adresse indiquée sans vous douter que quelqu'un d'autre utilise son identité.

Elle relate également l'histoire de gens qui découvrent dans leur boîte de réception, un avis supposément de Revenu-Québec stipulant qu'une erreur s'est produite sur leur formulaire d'impôt et qu'ils doivent encore 315 $ au gouvernement.

Madame Aubry précise que toutes ces annonces et réclamations semblent si vraies, si officielles qu'il est facile de se faire avoir.

Nous sommes bouche bée. Heureusement, personne ne

nous fait la morale. Au contraire, maman annonce :

— Bravo, les jeunes ! Nous sommes fiers de vous. Vous vouliez sincèrement aider Charlotte. Une fois de plus, vous nous donnez un bel exemple d'amitié et de solidarité.

Madame Rosie se lève et poursuit :

— Et pour vous prouver notre admiration, nous nous sommes tous cotisés. Voici une vidéo de ce qui vous attend prochainement comme sortie de fin d'année.

Sur l'écran apparaît d'abord un autobus, puis une grande roue, des autos tamponneuses, un téléphérique... C'est seulement après avoir reconnu *Le Monstre*, manège qui nous fait tous rêver, qu'on comprend qu'on fera un

voyage à *La Ronde*, le méga parc d'attractions de Montréal.

Notre joie éclate. Mes amis et moi, on s'embrasse. On se tape dans le dos. On crie des « Yé » à s'époumoner…

Après un moment de délire total, je prends la parole :

— MERCI à tous ! Merci beaucoup ! Évidemment, j'aurais aimé aller à *La Ronde* en marchant, mais… puisque vous fournissez l'autobus, ce sera pareil. Après tout… Marcher ou rouler, l'important dans la VIE, c'est d'avancer, n'est-ce pas ?

Dominique Giroux

Comme Charlotte et ses amis, Dominique Giroux savoure la Vie. Elle est fière de son passé, heureuse du présent et gourmande de l'avenir. Les journées ne sont jamais assez longues pour réaliser les mille et un projets qui trottent toujours dans sa tête.

Elle aimerait, entre autres, aller à la rencontre d'enfants de partout sur la planète, traverser les Appalaches à pied, sans oublier de goûter, avec ses petits-enfants, toutes les crèmes glacées du monde entier! Et, bien sûr, ensuite, écrire et raconter ses folles aventures. C'est pourquoi elle rêve d'inventer une machine pour abolir les nuits!

Bruno St-Aubin

 Même le sérieux journal *La Presse* s'est fait avoir en mettant en ligne une vidéo d'un enfant se faisant enlever par un aigle sur le mont Royal par une belle matinée de printemps.

J'y ai cru. Mais j'ai été soulagé d'apprendre que c'était un montage savant dans le but d'attraper des poissons le 1er avril... Pourtant, j'aime bien raconter des blagues et monter des bateaux remplis de poissons pour faire des *accroires* aux autres. J'éprouve un malin plaisir à voir leur tête ébahie par ce que je raconte. Mais je suis toujours là pour désamorcer la farce... Je ne m'appelle tout de même pas Bruno Yamamoto !

DOMINIQUE GIROUX
ÇA ROULE
AVEC CHARLOTTE !

Depuis son accident, Charlotte est en fauteuil roulant.

Rosie, son professeur, organise une semaine au camp des Dégourdis avec sa classe.

Charlotte aimerait bien y participer.

Mais comment convaincre ses parents ?

Volonté + amitié + solidarité = Réaliser un rêve ?

GARANT DES FORÊTS
INTACTES

Ce livre a été imprimé sur du papier Enviro
100 % recyclé, traité sans chlore, accrédité Éco-Logo
et fait à partir d'énergie biogaz.

Achevé d'imprimer
à Montmagny (Québec)
sur les presses de Marquis Imprimeur
en juillet 2016

MARQUIS